Une pr
dans la prairie

de Beatrice Masini
illustré par Sara Not
traduit de l'italien par Lise Chapuis

CHAPITRE 1

– Aujourd'hui, mon amie Anna va venir avec Mimosa. Zoé, tu te souviens de Mimosa, n'est-ce pas ?
– Non, pas du tout.
– Mais si, bien sûr que tu t'en souviens. Cette petite blonde avec les cheveux tout bouclés, qui a le même âge que toi…
– Celle qui a démoli ma tour en Lego et a essayé de voler les tennis de ma poupée Lula ?
– Allons, Zoé, je suis sûre que cette petite Mimosa n'est pas si terrible que ça. Vous

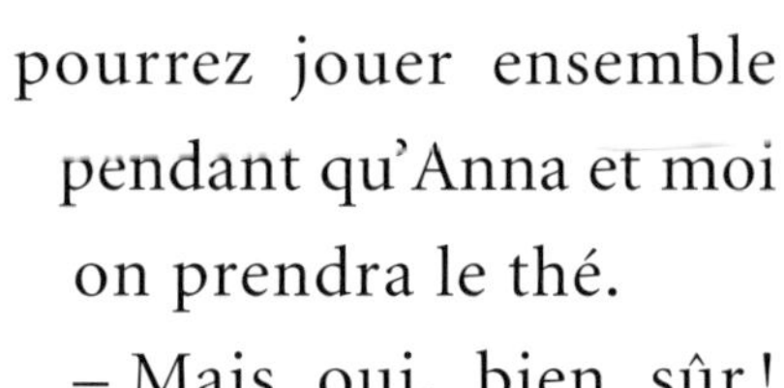

pourrez jouer ensemble pendant qu'Anna et moi on prendra le thé.

– Mais oui, bien sûr ! On verra ce qu'elle va réussir à me casser cette fois-ci...

Zoé est folle de rage. Non, franchement, sa mère ne devrait pas inviter des amies qui ont des filles odieuses, elle ne devrait pas croire que toutes les petites filles du monde sont obligées d'être amies juste parce que leurs mamans le sont. Histoire de se calmer, Zoé court dans sa chambre, ferme soigneusement la porte et s'allonge par terre pour jouer un moment avec *La Petite Écurie*. Rien de tel qu'une bonne course à cheval pour chasser les mauvaises pensées...

Toc toc toc. Zoé tire sur les rênes de Zéphyr qui passe du galop au petit trot.
– Qui c'est ? demande-t-elle, même si elle le sait parfaitement.
La poignée s'abaisse lentement, et Mimosa apparaît dans toute sa splendeur.

– C’est quoi, ces habits ? demande Zoé quand elle lève la tête, sans savoir si elle doit trouver ça super ou horrible.

– Je suis une princesse, tu ne vois pas ? répond Mimosa en tournoyant sur elle-même.

Au milieu de ses boucles blondes est planté un diadème en plastique qui a perdu presque tous ses brillants, et son manteau rose bonbon se gonfle autour d’elle quand elle virevolte.

– Beurk ! dit Zoé.

– Moi, je me plais comme ça, riposte Mimosa.

– D’accord. Alors voilà ce qu’on va faire : moi je joue de mon côté, et toi tu joues du tien. Et attention à ne pas toucher ma *Petite Écurie*, prévient Zoé avant de disparaître mystérieusement dans le placard.

– Oh, un jeu de garçon ! dit Mimosa dans son dos.

Impossible de savoir si c'est un compliment ou un reproche, d'ailleurs Zoé s'en fiche pas mal. Tout en farfouillant dans le placard au milieu des paires de chaussures alignées par terre, Zoé serre très fort Zéphyr dans sa main, tellement fort qu'elle lui ferait mal s'il n'était pas en bois.

Finalement, la voilà qui sort du placard et revient s'allonger sur le tapis pour faire galoper son cheval loin, très loin…

La prairie est merveilleuse sous le soleil. C'est le petit matin, l'air est frais, et le ciel est un immense arc d'un bleu parfait. Quelques rares nuages flottent à l'horizon, et en plus ils sont tout petits : aucune raison de craindre un orage. Zoé relâche les rênes, Zéphyr ralentit.

– Profitons de la journée, petit cheval, lui murmure-t-elle à l'oreille en caressant sa crinière ébouriffée par la course.

Zéphyr remue la tête comme pour dire « oui » et ralentit son allure.
De temps à autre, il s'arrête pour brouter une touffe d'herbe plus verte que les autres.
Zoé sait que Zéphyr ne devrait pas être distrait par quoi que ce soit quand elle le monte mais, généreuse, elle le laisse faire.
C'est un cheval tellement doué, tellement gentil et obéissant, tellement fort…

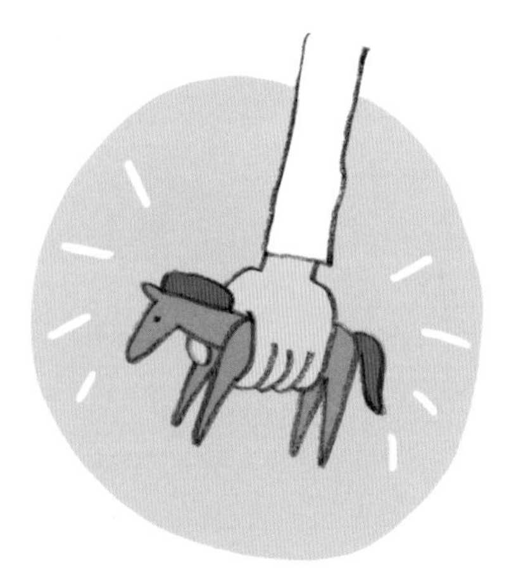

CHAPITRE 2

Soudain Zéphyr hennit, comme s'il voulait dire quelque chose.
Zoé regarde autour d'elle :
– Qu'est-ce qu'il y a ? demande-t-elle.
Voilà ce qu'il y a : une drôle de tache rose, là-bas, juste devant eux. Ils s'approchent : c'est une petite fille habillée tout en rose, avec des cheveux bouclés, qui rappelle terriblement à Zoé… Mais non, ce n'est pas possible !

– Tu es qui, toi ? demande-t-elle du haut de sa monture.
– Dis-moi d'abord, toi, qui tu es, réplique la gamine sans se laisser décontenancer. Elle la fixe avec des yeux brillants et se remet à tresser sa guirlande de fleurs.
– Tu es en train de décapiter toutes les orchidées sauvages, tu le sais ? lui fait remarquer Zoé. Ce sont des fleurs très rares et protégées, il ne faut pas les arracher, il faut les laisser là où elles sont.

– Bah, qu'est-ce que ça peut faire, vu qu'elles sont toutes à moi ?
– À toi ? demande Zoé, stupéfaite.
– Mais bien sûr. À moi, comme tout ce qu'il y a là autour. Même l'herbe que ton bœuf rouge est en train de piétiner est à moi, et, si je voulais, je pourrais le lui interdire.

– D’abord, ce n’est pas un bœuf rouge, c’est un cheval magnifique. Ensuite, si tu continues comme ça, tu vas me dire aussi que le soleil, et le ciel, et l’air sont à toi…

– C’est pas impossible, dit la gamine, vu que je suis la princesse Mimosa de Chippy.

– C’est pas parce que tu es habillée en princesse que tu en es une, réplique Zoé, mais elle commence à se sentir un peu moins sûre d’elle.

Elle déteste les princesses parce qu’elle sait par expérience qu’elles sont insupportables :

elles n'en font jamais qu'à leur tête, elles n'écoutent personne, et elles croient que le monde entier leur appartient. Dire que Zoé a fichu le camp de chez elle justement pour fuir l'une d'elles, ou plutôt une qui se prenait pour…

– Bon, tu peux croire ce que tu veux, ça ne change rien. Si tu veux me faire plaisir, rends-moi un service. Tu pourrais me porter un peu d'eau, par exemple…

– L'eau, tu iras te la chercher toute seule, riposte Zoé d'un ton aigre.

Elle glisse au bas de la selle, prend les rênes de son cheval et s'approche.

– Pouah ! Quelle horrible odeur ! s'exclame la princesse en se pinçant le nez. Tu ne peux pas le parfumer un peu, ton bœuf ?

– Moi, j'aime son odeur, dit Zoé. Il sent le cheval, un point c'est tout. Parce que c'est

un cheval, pas un bœuf. On peut savoir à quoi va servir cette guirlande ?
– Cette guirlande ? Mais à rien du tout ! À me la mettre sur la tête, dit-elle en posant la guirlande rose vif sur ses cheveux bouclés. Est-ce que tu vois comme je suis jolie avec ? Heu, je veux dire, moi je ne me vois pas. Si au moins j'avais un miroir… Tu n'en as pas un, par hasard ?

– Mais bien sûr ! Quand je pars à cheval, j'emporte toujours ma trousse à maquillage, ma brosse, mon peigne…

– Alors, qu'est-ce que tu attends pour me donner ce miroir ? demande cette effrontée de Mimosa.

– Je faisais de l'ironie ! réplique Zoé.

– Oh ! je vois que tu aimes employer de grands mots, marmonne Mimosa.

Mais on voit bien qu'elle n'a pas compris.

Zoé hausse les épaules, elle en a assez.

– Tu sais ce qui va se passer, maintenant ? Je vais remonter sur mon bœuf et te planter là, toute seule au milieu du pré.

– Oh, pas de problème. De toute façon, dans pas longtemps, mon carrosse va venir me chercher. Il est très joli, tu sais ?

– Attends, laisse-moi deviner : il est tout rose, et traîné par deux licornes, pas vrai ?

– Mais comment tu as deviné ? s'exclame Mimosa, ébahie.
– Sans doute que je l'ai vu dans une publicité, dit Zoé.
Là encore, Mimosa n'a pas l'air de comprendre.
Zéphyr piaffe et hennit, histoire de montrer qu'il en a marre de tous ces bavardages inutiles.

– Tu as raison, lui dit Zoé en lui frottant le nez avec la main.
Elle remonte en selle et lance à Mimosa :
– Bon, on s'en va. Je ne peux pas dire que ça a été un plaisir de te rencontrer.

– Pareil pour moi.

– *Ciao !*

Zéphyr s'élance au galop, Zoé se couche sur son cou puissant, et prend plaisir à se faire fouetter par le vent. Une délicieuse odeur d'herbe flotte dans l'air. Le visage de Zoé est frais comme si elle venait de le plonger dans un torrent. Elle pourrait continuer comme ça pendant des siècles. C'est merveilleux : avec son cheval, elle se sent libre, heureuse ; il la rassure et la tranquillise.

Zéphyr est son meilleur ami et, même s'il ne parle pas, ils se comprennent parfaitement tous les deux.

CHAPITRE 3

Soudain Zéphyr se cabre. Bonne cavalière, Zoé ne se laisse pas désarçonner, et de toute façon Zéphyr ne la ferait jamais tomber. Quand il agit ainsi, c'est qu'il sent quelque chose de bizarre : un danger, peut-être.
– Où ça, Zéphyr ? lui demande Zoé en lui caressant le cou pour le calmer.
Le grand cheval roux remue la tête et gratte le sol avec son sabot, puis il fait demi-tour et recommence, comme pour dire : « C'est par là. »

– Vas-y, Zéphyr, l'encourage Zoé. Allez !
« C'est bizarre, se dit Zoé, j'étais sûre que lui non plus n'aimait pas Mimosa, et pourtant on est en train de revenir vers elle… Mais peut-être qu'elle n'est plus là, son carrosse rose a dû venir la chercher. » 
Tout à coup, on entend un hurlement très fort, strident : le hurlement d'une petite fille terrorisée. Zéphyr galope plus vite, saute par-dessus une haute haie et atterrit au milieu d'un pré. Mimosa est là, debout, son diadème tout de travers, le visage enfoui dans son manteau rose. En face d'elle, un gros puma avance en rampant, prêt à bondir.

En le voyant du haut de son cheval, Zoé se dit qu'il a l'air d'une espèce de grand chat, avec ses touffes de poils sur les oreilles et son pelage fauve. Mais les crocs qu'il montre sont nettement plus impressionnants que ceux d'un gros matou…
Zoé n'hésite pas l'ombre d'un instant : elle met pied à terre, court vers Mimosa et la plaque au sol. Zéphyr, lui, s'interpose entre les fillettes et le puma, puis commence à se cabrer et à hennir. Zoé est folle d'inquiétude : les griffes d'un puma peuvent faire très mal, même à un animal grand et fort comme Zéphyr.

Heureusement, elle sait que son cheval est parfaitement capable de se débrouiller tout seul, et surtout qu'il n'a peur de rien. Zoé n'y tient plus et relève la tête : Zéphyr piaffe, martèle le sol de ses sabots et hennit tellement fort que le puma, après avoir soufflé et craché plusieurs fois

dans sa direction, cède du terrain et commence à reculer. Puis, faisant volte-face, il s'enfuit dans un bruissement d'herbes hautes.

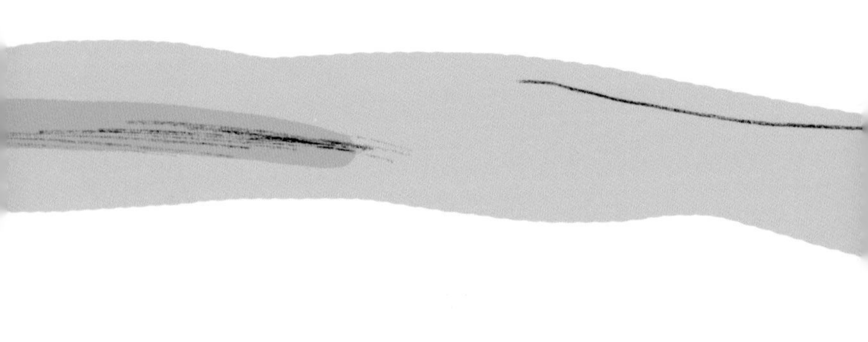

Zéphyr se calme enfin : il se lance dans un petit galop, histoire de vérifier que le puma est bien parti, puis, revient sur ses pas en secouant ses rênes.

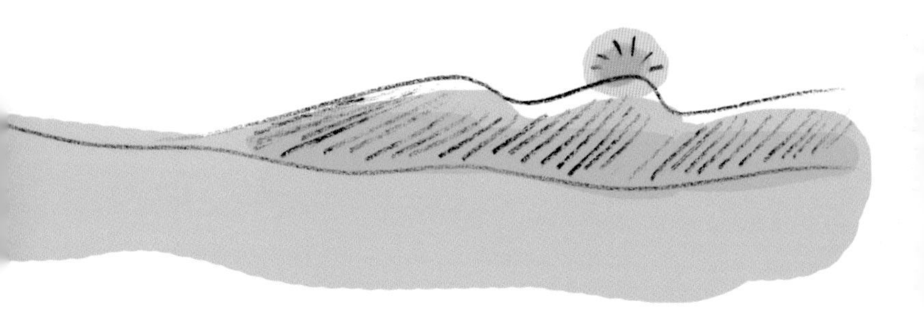

CHAPITRE 4

– Ça y est, c'est fini, le puma est loin ! annonce Zoé, en libérant une espèce de ballot rose : Mimosa écrasée contre le sol. Mimosa se redresse lentement et tire sur son manteau ; celui-ci est sale et déchiré, mais on dirait qu'elle s'en fiche. Le diadème est tombé dans l'herbe.
Zoé le ramasse et s'apprête à le lui rendre, mais la fillette l'en empêche d'un geste ferme.
– Il ne me sert plus, maintenant.

Elle passe sa main dans ses boucles en désordre, puis elle se lève et fait une grande révérence à Zéphyr :

– Merci, cher cheval, de m'avoir sauvé la vie. Viens me voir un jour dans mon palais, et tu auras ta récompense.

Ensuite elle se tourne vers Zoé et lui confie :

– Tu sais, je plaisantais. J'habite dans la petite maison là-bas en bas.

Elle montre du doigt un petit point rouge dans la vallée.

– Si vous voulez bien me raccompagner chez moi, on pourra goûter tous les trois.

Zoé la regarde, épatée : elle ne s'attendait pas à ce que Mimosa puisse aussi être aimable. Elle se remet en selle et tend une main vers la fillette en lui lançant :

– Allez, saute !

– Ah non ! réplique Mimosa. Qu'est-ce que tu crois ! Moi, je monte en amazone !

Et elle se hisse sur la selle devant Zoé, les deux jambes du même côté.

– Mais c'est plus fatigant !... Bon, d'accord, je comprends, c'est comme ça que les princesses montent à cheval, admet Zoé avec un petit sourire, le diadème encore dans la main.

– Aujourd’hui, la princesse, c’est toi, lui dit Mimosa en prenant le diadème qu’elle lui pose sur la tête.
Puis, s’adressant au cheval, elle lui glisse :
– Zéphyr, je t’en prie, va doucement, sinon ton amie va perdre sa couronne.

Les nouveaux amis s'en vont tout doucement vers la maison de Mimosa, qui n'est ni un palais royal ni un château, mais ça ne fait rien : à leur arrivée, ils découvrent que la maman de Mimosa a fait des gâteaux au chocolat, et un grand seau plein de petites pommes vertes à croquer attend Zéphyr.

– Hé, les filles, venez prendre le thé, vous aussi !
La voix de la maman de Zoé passe sous la porte.
– Ma maman ne sait pas faire les gâteaux au chocolat, avoue Zoé, l'air gêné.

– Ça ne fait rien, la rassure Mimosa. Nous en avons apporté.

La porte de la chambre s'ouvre : voilà les deux mamans.

– Alors, les filles, vous êtes tellement occupées à jouer que vous en oubliez de goûter ? dit la maman de Zoé.

– Ce n'est pas ça, madame, répond Mimosa en faisant une demi-révérence : j'ai eu des soucis, et Zoé m'a sauvée. Je lui en serai éternellement reconnaissante.

Les deux mamans échangent un regard complice : quelle imagination elles ont, ces gamines !

– Zoé, qu'est-ce que tu fais avec ces bottes de pluie dans la maison ?

– Mais Maman, je ne pouvais pas monter à cheval avec mes tennis, c'est dangereux !

– Ah, d'accord, je comprends. Tu es rigolote, avec ces bottes et cette petite

couronne sur la tête. Tu es tellement… différente…
Le diadème ! Zoé l'avait oublié. Elle l'enlève à toute vitesse, gênée, et le rend à Mimosa :
– Je crois qu'il te va mieux qu'à moi…
Mimosa le prend et sourit. Puis elle le pose sur le lit, avec le manteau qu'elle vient d'enlever.
Pour finir, elle ajoute :
– Et si on disait qu'aujourd'hui on est juste des petites filles ?

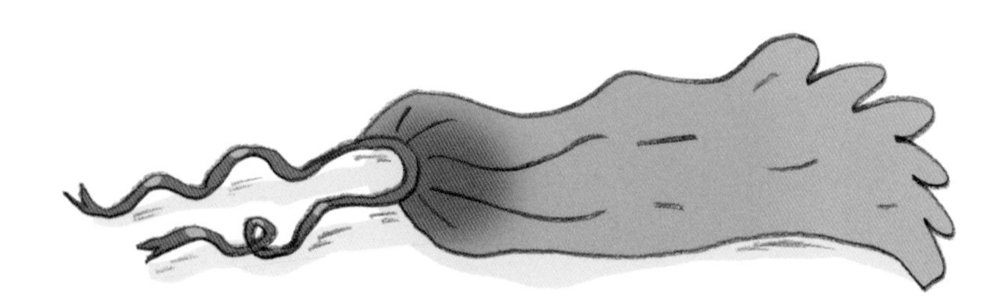

Mise en pages : Corinne Deniel.
Création graphique : Bruno Douin.

Titre original : *Vic e vento - La principessa nella prateria*

Loi 49.956 du 16.07.1949 sur les publications destinées à la jeunesse.
Dépôt légal : 1er trimestre 2013
ISBN : 978-2-7459-6155-6
www.editionsmilan.com
Imprimé en France par Pollina - L63516B